Dmitri Schostakowitsch
Dmitri Shostakovich

Walzer Nr. 2
Waltz No. 2

(Florian Noack)

Klavier
Piano

SIKORSKI MUSIKVERLAGE · HAMBURG

Walzer Nr. 2 • Waltz No. 2
für Klavier / for piano

Bearb. / Editor:
Florian Noack

Dmitri Schostakowitsch
Dmitri Shostakovich

H.S. 1765

leggiero

il tema marcato

DMITRI SCHOSTAKOWITSCH

Walzer Nr. 2 aus der Suite for Variety Orchestra [nach 1956].

Die Suite for Variety Orchestra war irrtümlicherweise für die **Suite für Jazzorchester Nr. 2** [1938] gehalten worden, bevor diese im Jahr 1999 weiderentdeckt wurde.

DMITRI SHOSTAKOVICH

Second Waltz from Suite for Variety Orchestra [after 1956].

Suite for Variety Orchestra has erroneously been identified as **Suite for Jazz Orchestra No. 2** [1938] before the latter was rediscovered in 1999.

Bearbeitung / Arrangement: Florian Noack

SIKORSKI 1765
ISMN: 979-0-003-04263-3
Printed in Germany

© by Musikverlag Hans Sikorski GmbH & Co. KG, Hamburg

Klavierstücke

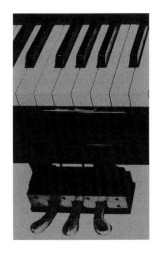

leicht – mittelschwer

Aram Chatschaturjan
Bilder der Kindheit (Kinderalbum I)
SIK 2144

Klänge der Kindheit (Kinderalbum II)
SIK 2166

Sonatine
SIK 2153

Edison Denissow
Kinderstücke
SIK 6877

Sofia Gubaidulina
Musikalisches Spielzeug. 14 Stücke für Kinder
SIK 6851

Werner Heider
Klavier-Spielplatz. 12 Stücke für die Jugend
SIK 1575

Karl Höller
Sonate d-moll op. 41, 1
SIK 113

Sonate G-dur op. 41, 2
SIK 114

Sonate h-moll op. 41, 3
SIK 115

Dmitri Kabalewski
30 Klavierstücke für junge Spieler op. 27
Heft I-III
SIK 2399a / 2399b / 2399c

24 kleine Stücke op. 39
SIK 2142

Leichte Variationen op. 40 (Heft I)
SIK 2143

Leichte Variationen op. 51 (Heft II)
SIK 2116

Vier Rondos op. 60
SIK 2125

Roman Ledenjow
Kleine Dinge / Vermischte Seiten
SIK 2342

Alexei Matschawariani
Kinderalbum. Zwölf kleine Stücke
SIK 2149

Uli Molsen
„Schatzkiste" für junge Klavierspieler.
Leichtere Stücke vom Barock bis zur Zwölftonmusik,
auch mit Vorlagen zum Improvisieren
SIK 1570

Modest Mussorgski
Fünf Kinderstücke
SIK 6721

Hans Poser
Bagatellen op. 1
SIK 118

Musik für Ursula. Sieben kleine Stücke op. 10
SIK 119

Sonatinen Nr. 1 und 2 op. 12
SIK 120 / SIK 121

Sonatinen Nr. 3 und 4 op. 44
SIK 505 / SIK 506

Sergej Prokofjew
Peter und der Wolf op. 67.
Ein musikalisches Märchen für Kinder,
für Klavier leicht gesetzt [Kula]
SIK 1634

Alfred Schnittke
Kleine Klavierstücke
SIK 2366

Dmitri Schostakowitsch
Kinderalbum op. 69. Sieben Stücke (Neuausgabe)
SIK 2122

Tanz der Puppen. Sieben Stücke
SIK 2123

Karussell der Tänze. 25 Stücke
SIK 2201

Erlebnisse eines Tages. 21 Stücke
SIK 2202

Rodion Shchedrin
Heft für die Jugend. 15 Stücke
SIK 2340

Erik Satie
Ogives
SIK 744

Katia Tchemberdji
Sechs Haiku / Trauermarsch / Tag und Nacht
SIK 1949

Käsemond. Zwölf Kinderstücke
SIK 1189

Stanley Weiner
Pianorama. Kleine Stücke
Heft I-IV
SIK 1031 / 1032 / 1033 / 1034

Bernard Whitefield
Boogie-Woogie für Anfänger.
20 amerikanische Original-Boogies
SIK 167

Boogie-Woogie für Fortgeschrittene.
10 amerikanische Original-Boogies
SIK 168

Spezialkatalog: Klavier

Alle Kataloge und vieles Weitere
finden Sie auch unter:
www.sikorski.de

SIKORSKI MUSIKVERLAGE · HAMBURG
www.sikorski.de